D0186168

Pour Élouan, Siloé, Daphné, Quentin, Paula et Abel

Matthieu Sylvander et Audrey Poussier

ISBN 978-2-211-21500-8

Loi numéro 49956 du 16 juillet 1949 sur les publications
destinées à la jeunesse : novembre 2012
Dépôt légal : décembre 2013
Imprimé en France par Pollina à Luçon - L66185

Édition spéciale non commercialisée en librairie

Palmier de Noël

Une histoire de Matthieu Sylvander
illustrée par Audrey Poussier

l'école des loisirs
11, rue de Sèvres, Paris 6e

Dans cette oasis brûlée par le soleil, il ne reste plus qu'une très vieille cigogne, et Palmino.
Souvent, la cigogne raconte à Palmino les pays qu'elle a visités.
L'histoire que Palmino préfère, c'est celle de l'hiver où la cigogne a oublié de rentrer en Afrique, et où elle a vu Noël.

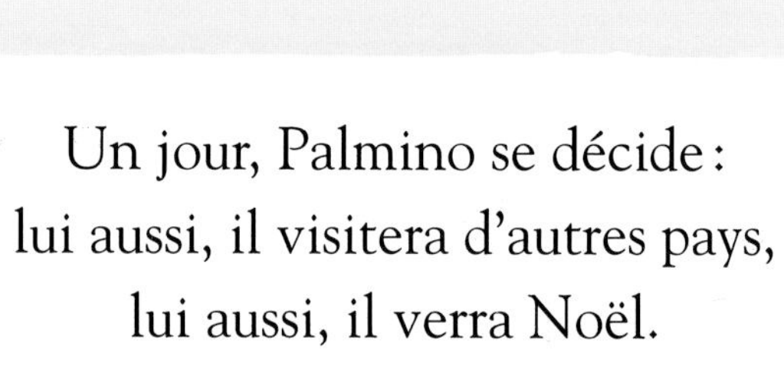

Un jour, Palmino se décide :
lui aussi, il visitera d'autres pays,
lui aussi, il verra Noël.

« Veux-tu venir avec moi ? » demande-t-il à la cigogne.
« Oh, Palmino, ce n'est plus de mon âge. Tu m'enverras
des cartes postales. » Alors ils se disent au revoir.

Il marche. Il marche longtemps et arrive enfin au rivage…
La cigogne lui a expliqué que, s'il veut voir Noël, il devra traverser la mer.

Palmino a entendu dire que les arbres flottent.

… OUI ! Les arbres flottent !

Le voyage est long, et la mer souvent agitée.
Palmino voudrait être déjà arrivé.

« Vivement les autres pays, et qu’on voie Noël ! »

Enfin, il arrive de l'autre côté.
Tout est magnifique : le sable, le soleil doux,
et surtout les palmiers.
« Oooh, le paradis ! » s'exclame Palmino.
« Quel dommage que la cigogne ne puisse pas être là ! »

UE BAR
MODE NAVY
7/7
Miam!
24H/24H
A VENDRE

Tout guilleret, Palmino va demander son chemin aux palmiers magnifiques.
« Bonjour ! Pourriez-vous, s'il vous plaît, me dire où se trouve Noël ? »
Les palmiers magnifiques le regardent de travers.

« Fiche le camp, ou on appelle la police ! » menace l'un d'entre eux.
La police ? Palmino a bien dit « bonjour », pourtant,
et aussi « s'il vous plaît » ! Il ne comprend pas.
Mais déjà les palmiers ont composé le numéro.
« Allô, la police, ici c'est les palmiers magnifiques.
Venez vite, un individu louche vient d'arriver par la mer ! »

« En prison ! En prison ! En prison ! »
Les palmiers rient très fort et chantent à tue-tête.
Terrorisé, Palmino veut s'enfuir…

… mais il glisse, et s'étale par terre.
Le soleil a disparu. Maintenant, il fait très froid. Du ciel tombent des trucs blancs et mouillés, qui gèlent les palmes de Palmino. Il n'a plus envie de bouger.

Heureusement, dans ce pays, il n'y a pas que des palmiers magnifiques.
« Bonjour, petit », dit le policier. « Que fais-tu si loin de chez toi ? »
Palmino soupire : « Je voulais voir Noël… »
« Mais, par ma barbe, tu es tout gelé ! »

Le policier se met en colère.
« Palmiers, vous êtes des crapules ! Vous auriez laissé ce petit arbre mourir de froid !
Un jour comme aujourd'hui ! »

Il prend Palmino dans ses bras et lui parle d'une voix douce.
« Allez, mon garçon, tu viens avec moi. »
Délicatement, il installe Palmino dans sa voiture.

Avant de s'endormir, le petit palmier a juste le temps de se demander où on l'emmène, et s'il pourra voir Noël.

BELLEVUE ★★★
MODE NAVY
Miam !
24H/24H
A VENDRE

Palmino dort si bien qu'il ne se réveille pas quand la voiture s'arrête.

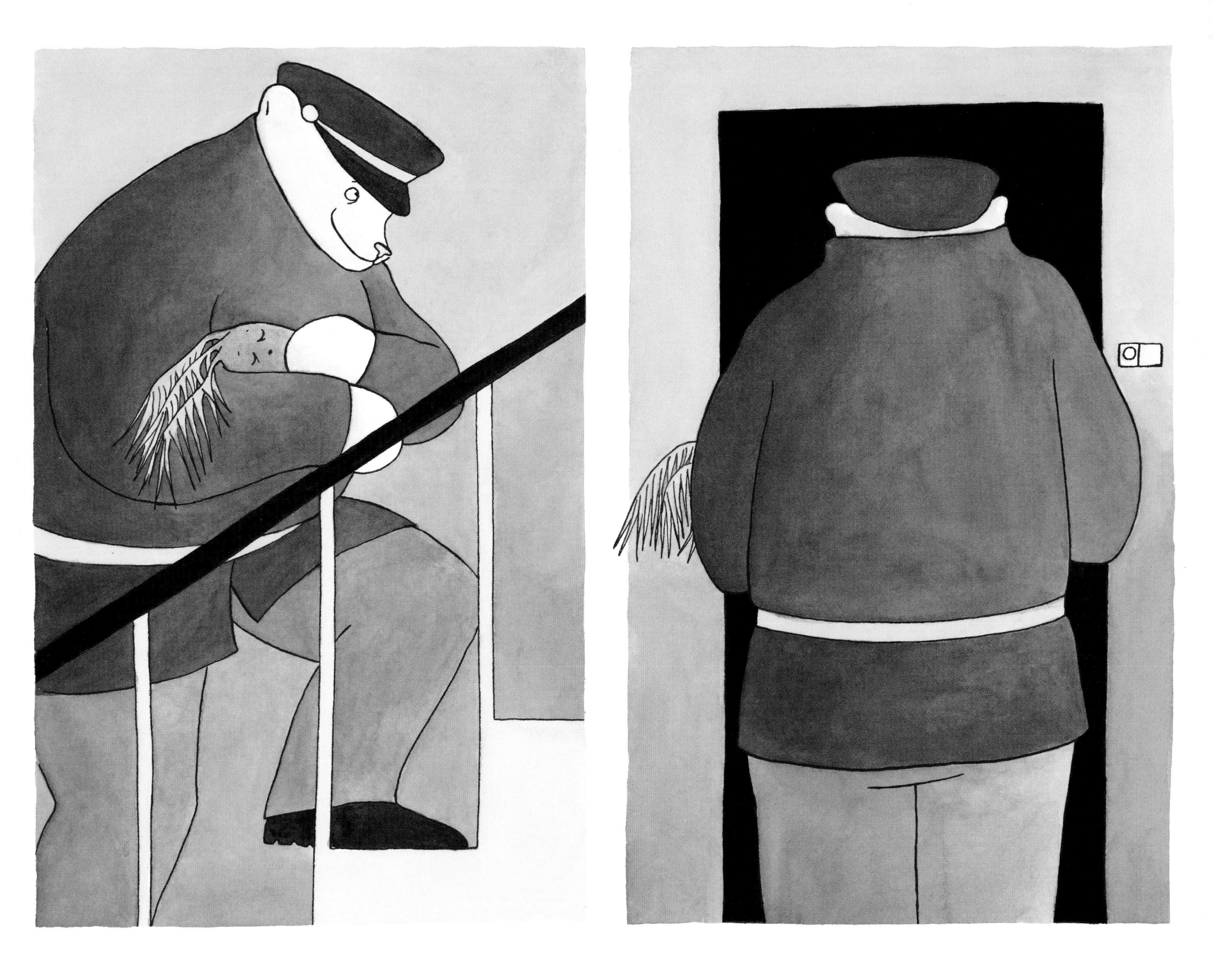

Ni quand le policier le prend dans ses bras.

« Ouvre les yeux, nous sommes arrivés. Regarde, on n'attend plus que nous. »

« Bonjour ! » dit un petit arbre
très joliment décoré.
« Comment t'appelles-tu ? »
« Je m'appelle Palmino. »
« Moi, c'est Sapinette.
Joyeux Noël, Palmino ! »

« Noël ? » Palmino ne comprend pas.
« Mais qu'est-ce que c'est, à la fin, Noël ? »
« Noël, c'est tout ça », répond Sapinette
en montrant les guirlandes, les lumières
et la famille rassemblée.

Alors Palmino grimpe auprès
de Sapinette, et murmure :
« Je crois que je vais rester ici. »

Et il pense très fort à la vieille cigogne, là-bas, dans le désert.